1

Du soleil, enfin !

Ce matin, Clément et Julien se sont levés très tôt. Tout en déjeunant, ils écoutent le bulletin de la météo à la télévision.

— Du soleil, du soleil et encore du soleil, dit le célèbre météorologue Bôtan Môvètan.

— Enfin! fait Julien. Ça fait cinq jours qu'il pleut et ...

— Mange, l'interrompt Clément.

— Mais qu'est-ce qui presse tant? demande son frère.

— Je veux que nous soyons les premiers sur la plage pour participer au concours de châteaux de sable.

— Va-t-on construire la **FORTERESSE** dont tu as dessiné les plans cette semaine?

— Mais oui, répond Clément avec entrain.

— Ah, ce n'est pas trop tôt! conclut Julien en dévorant son bol de céréales.

2
Le château

Arrivés sur la plage, les deux frères explorent attentivement chacune des buttes de sable. Tout à coup, Clément s'écrie :

— Là-bas, Julien. Là-bas !

Ce dernier plisse les yeux, scrute l'horizon et repère enfin l'endroit désigné.

— Nous y construirons le plus beau château de sable, dit Clément avec conviction.

À ces mots, Julien court rapidement vers la butte en criant :

— Et nous remporterons le premier Pri-i-i-i-i-i-x du concours de châteaux de sable !

Tel un bon éclaireur, il observe méticuleusement tout ce qui se trouve autour de la dune. Au sud, il aperçoit la mer. Au nord, le port. À l'est, le village et enfin à l'ouest, la plage à perte de vue.

— Magnifique ! s'exclame-t-il.

Lorsque Clément, à bout de souffle, le rejoint, Julien déclare :

— C'est ici que nous construirons les **TOURS GIGANTESQUES** qui permettront aux chevaliers de surveiller les allées et venues des bateaux. C'est là que nous bâtirons le pont-levis qui permettra aux habitants du village

d'entrer au château. Ici, nous fabriquerons l'aqueduc pour obtenir de l'eau potable et, là-bas, nous creuserons un bassin pour le lac...

— Respire, l'interrompt Clément en lui faisant signe d'inspirer et d'expirer. Tout d'abord, dit-il en étalant ses dessins sur le sable, nous devrons étudier chacun des plans que j'ai dessinés. Ensuite, nous devrons prendre des mesures, calculer la hauteur des murs et déterminer l'emplacement des tours.

Alors que Clément multiplie les directives, Julien commence à creuser. Tout à coup, le vent se lève et disperse tous les dessins.

— C'est à n'y rien comprendre ! s'écrie Clément en courant dans tous les sens pour les rattraper. Le météorologue Bôtan Môvètan n'a jamais dit qu'il allait venter.

Mais il est trop tard. Tous les plans se sont envolés. Déçus, Clément et

Julien s'assoient au pied de la dune.

— Tu n'en as pas besoin, dit finalement Julien. Tu as tous les plans dans ta tête.

Clément le regarde, sceptique. Julien se met alors à le questionner de façon à lui prouver qu'il a raison.

— De quel côté construirons-nous le pont-levis ?

— Du côté sud, répond Clément.

— Et les meurtrières ?

— Du même côté, évidemment.

— Et l'aqueduc ?

— À l'ouest.

— Et le donjon ?

— Au nord.

— Et la tour d'assauts ? Et l'aire de tournoi ? Et le lac ?

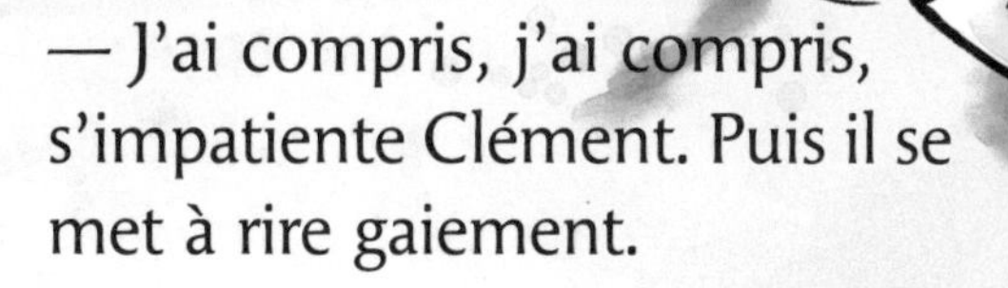

— J'ai compris, j'ai compris, s'impatiente Clément. Puis il se met à rire gaiement.

Julien se met alors au GARDE-À-VOUS et demande :

— Que construisons-nous en premier, chef ?

— Tout d'abord, fait-il, nous bâtirons les tours d'observation. Puis, nous édifierons les murs et le pont-levis et ensuite, nous creuserons un bassin pour le lac.

Tandis que Clément explique en détail tout ce qu'ils devront faire, Julien recommence à creuser. À les regarder, nul ne peut douter qu'ils forment une équipe du tonnerre : l'un remplit les seaux de sable, l'autre les démoule délicatement ; l'un creuse, l'autre amasse des roches pour retenir les fondations du château ; l'un ramasse des brindilles, l'autre décore les tours et les murs de la forteresse.

Vers midi, Clément et Julien déposent enfin leurs outils et admirent le fruit de leur travail. Une forteresse grandiose trône sur la butte.

— Il ne nous reste plus qu'à construire la muraille qui protégera le château des ennemis, dit Clément.

— Et à creuser un bassin, lui rappelle son frère.

③
Quelle surprise !!!

Julien saisit alors la plus grosse des pelles que Clément et lui ont apportées à la plage et entreprend de creuser le bassin avec entrain. Quelques minutes plus tard, il **heurte** quelque chose de dur. Patiemment, il pellette autour de ce qu'il pense être une immense roche. Il glisse ensuite sa pelle sous l'objet,

appuie fortement sur le manche puis observe ce qui émerge du sol. Stupéfait, il interpelle Clément.

— Que se passe-t-il ? fait ce dernier en levant la tête.

— Chu-u-u-u-u-u-t, répond Julien.

— Vas-tu enfin me dire ce qui se passe ? murmure Clément en s'asseyant près de Julien.

— Regarde, chuchote Julien en pointant du doigt ce qu'il vient de décrouvrir.

Un magnifique coffre au trésor repose au fond du bassin !

— Nous sommes riches ! Nous sommes très riches ! Nous sommes très très riches ! s'écrie Clément.

— Chu-u-u-u-u-u-t, reprend Julien en lui faisant signe de se taire.

Trop excité pour se soucier des gens qui le regardent, Clément continue à

crier. Alors que son frère chante et danse, Julien tente d'éloigner les curieux qui approchent.

— Ce n'est rien, dit-il. Mon frère... euh... a attrapé une insolation.

Julien se tourne alors vers Clément et le supplie de se calmer. La foule est à quelques mètres du château.

— ***Vite***, fait-il avec ***empressement***, il faut cacher notre trésor.

Tandis que Clément tire sur le coffre, Julien pousse dessus. Au même instant, un groupe d'hommes aux **regards féroces** se faufile à travers la cohue. La foule effrayée se disperse rapidement. Les deux frères, quant à eux, continuent à tirer et à pousser sur la malle. Tout à coup, ils entrent brutalement en contact avec **six paires de jambes poilues**. Les regards de Clément et de Julien remontent lentement vers les visages qui surmontent les corps de ces méchants. Une bande de pirates les regardent.

— Qu'avez-vous là ? demande celui qui semble être le capitaine.

— Euh...c'est...euh, c'est un jouet, fait Clément.

— Un jouet, répète-t-il lentement.

— Un jouet, confirme Julien.

— Et peut-on voir ce qu'il y a dedans ?

— Il n'y a **rien**, répond Clément en s'interposant entre le coffre et le capitaine qui menace de s'en emparer.

D'un signe de tête, ce dernier ordonne au plus **costaud** de ses marins de l'ouvrir. Un homme aux bras musclés et tatoués s'avance, ***pousse*** Clément d'une main et, de l'autre, glisse un pied-de-biche dans l'arceau du cadenas. Il le tourne et la serrure se brise d'un coup sec. De nombreuses pièces d'or s'écoulent du coffre éventré.

— C'est à nous, s'écrient Clément et Julien en tentant de les ramasser.

Mais il est trop tard. Le capitaine a déjà fait signe au marin tatoué de s'emparer du trésor. Quelques instants plus tard, les pirates regagnent leur navire en riant et en se félicitant du bon coup qu'ils viennent de réaliser. Dépités, les deux frères s'assoient au pied de leur château.

④
Tombée du ciel

— Il faut absolument récupérer ce coffre, bougonne Julien.

— Réfléchissons, dit Clément. Tout problème comporte une solution.

Tandis qu'ils élaborent un plan pour reprendre leur bien, un oiseau les survole. À plusieurs reprises, il plonge vers eux en leur disant :

— Je peux vous aider.

Dès que l'oiseau s'approche de leur château, Clément et Julien agitent

machinalement leurs mains afin de l'en chasser. L'oiseau poursuit son manège. Subitement, les deux frères se lèvent et crient simultanément :

— ***Va-t'en, oiseau de malheur !***

Au lieu de s'éloigner, il se pose près d'eux et dit :

— Je m'appelle madame Moue Hette et je ne suis pas un oiseau de malheur. Tous les hivers, je migre vers cette plage du Mexique.

Étonnés, les garçons l'observent quelques instants.

— J'ai la solution à votre problème, poursuit-elle.

— La solution à notre problème? demande Julien, incrédule.

— Je peux facilement survoler le **bateau des pirates**...

— ... et les espionner, l'interrompt Clément en tapant des mains.

— Et les espionner, répète-t-elle fièrement.

— Va et raconte-nous tout ce qui se passe sur ce bateau, fait Clément en désignant le navire amarré au port.

— Oui chef! répond-elle en s'envolant.

5

Les experts en nombres

Quelques minutes plus tard, madame Moue Hette survole le navire des pirates à la recherche de l'endroit idéal pour les épier. Elle se perche finalement sur le mât principal et note tout ce qui s'y passe. Une trentaine d'hommes se sont rassemblés autour du trésor. Chacun tente désespérément de s'emparer de l'or. Les plus **GRANDS** menacent les plus petits,

les plus **forts** attaquent les plus faibles et les plus **agressifs** dégainent leur épée et repoussent quiconque s'en approche.

— **ASSSSSEEEEEZ!** hurle le capitaine.

Interdits, les pirates s'immobilisent.

— **QUI PEUT COMPTER LES PIÈCES QUI SE TROUVENT DANS LE COFFRE?**

Un à un, ils baissent les yeux. Aucun d'entre eux ne sait compter.

— **Bande d'incapables!** crie-t-il en haussant les bras.

À ces mots, madame Moue Hette s'envole rapidement vers le château de Clément et de Julien.

— Ils ont besoin d'une personne pour compter leur or, dit-elle en se posant. Élaborez votre plan, revêtez vos plus beaux complets et collez de **larges moustaches touffues** sous votre nez avant de partir.

Lorsque les garçons arrivent enfin sur le pont du bateau des pirates, un marin est à compter les pièces d'or sous l'étroite surveillance de l'équipage.

— **C'est la vingtième fois que tu recommences**, s'écrie le capitaine.

— Je n'y peux rien, marmonne-t-il. Tous ces yeux qui me regardent m'empêchent de me concentrer et de compter.

Clément et Julien observent la scène pendant quelque temps puis toussent discrètement. Le capitaine se retourne subitement, les dévisage et demande d'une voix forte :

— **Qui êtes-vous et que voulez-vous ?**

Le temps d'une inspiration, ils hésitent puis lèvent les yeux vers leur nouvelle amie qui les encourage à continuer. Enfin, Clément dit d'une voix **grave** :

— Nous sommes comptables, membres de la firme Fiévou Hanou et, poursuit-il en pointant du doigt le butin éparpillé sur le sol, nous avons appris que vous étiez à la recherche d'experts pour compter vos pièces d'or.

— M-m-m-m-m-m-mais, bredouille le capitaine, comment avez-vous su ?

— Nous avons nos sources, répondent Clément et Julien en faisant un clin d'œil à madame Moue Hette.

Méfiants, les pirates les dévisagent. Clément inspire profondément et demande :

— **ÊTES-VOUS, OUI OU NON, À LA RECHERCHE D'EXPERTS POUR COMPTER VOTRE OR?**

Un à un, ils baissent les yeux et marmonnent un oui à peine audible.

— Eh bien, soyez rassurés, compter, c'est notre **spécialité**, dit Julien en essuyant son front ruisselant de sueur.

D'un signe de tête, le capitaine ordonne à ses marins de s'éloigner du trésor et d'apporter une table et deux chaises aux **comptable$**.

— Vous pouvez procéder au calcul, dit-il.

— Nous avons besoin d'un endroit à l'abri des regards, explique Clément en désignant les pirates.

— Et d'un endroit calme, précise Julien.

D'un autre signe de tête, le capitaine donne l'ordre à ses hommes de former un cercle autour des deux comptables, en leur tournant le dos. Puis, il exige le silence. Clément et Julien prennent place à la table de travail et commencent à compter.

— 1, 2, 3, 4, 5..., font-ils à voix haute en emplissant leurs poches, leurs bas et leurs souliers de pièces d'or.

Pendant ce temps, les pirates laissent courir leur imagination. Certains rêvent des festins qu'ils engloutiront.

— 115, 116, 117...

D'autres rêvent des vêtements qu'ils achèteront.

— 1038, 1039, 1040...

Certains rêvent des pays qu'ils conquerront.

— 2010, 2011, 2012...

Et d'autres rêvent des fêtes qu'ils donneront. Finalement, les comptables ferment **bruyamment** le coffre. N'attendant que ce signal, les pirates se retournent et demandent :

— Sommes-nous riches ? Sommes-nous très riches ? Sommes-nous très très riches ?

Clément leur ordonne de se calmer puis déclare :

— Il y a 2 400 pièces dans ce coffre.

— Nous sommes riches ! Nous sommes très riches ! Nous sommes très très riches !

Les experts-comptables profitent de cette diversion pour se lever et se diriger vers la passerelle. Malheureusement, plusieurs pièces s'échappent de leurs poches bien **rembourrées**. Quelques pirates s'en aperçoivent et s'écrient :

— **Au voleur ! Au voleur !**

D'un signe de tête, le capitaine ordonne à ses deux plus gros pirates de les capturer.

— Aux fers, crient certains.

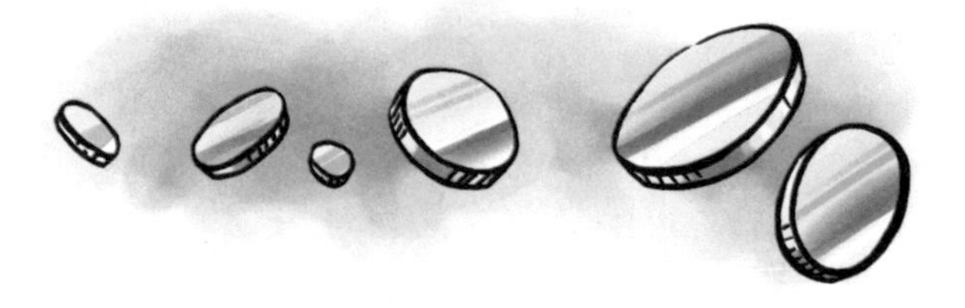

— La planche, font les autres en chœur.

Clément et Julien, **tremblant** à l'idée d'affronter l'un ou l'autre de ces scénarios, se débattent et tentent de se libérer de l'emprise de leurs geôliers. Impatients, les pirates les renversent et se mettent à les secouer énergiquement. Toutes les pièces d'or tombent de leurs poches, de leurs chaussettes et de leurs souliers. Les membres de l'équipage les recueillent une à une et les déposent dans le coffre. D'un autre signe de tête, le capitaine ordonne à ses hommes de jeter les faux comptables par-dessus bord.

— Nous n'avons plus besoin de leurs services, dit-il en riant.

⑥
Le partage du butin

Heureusement, les garçons savent nager et atteignent la berge sains et saufs. Tout en essorant ses vêtements, Julien demande à Clément :

— Comment ferons-nous maintenant pour récupérer notre trésor?

— Retournons au château. Nous y verrons plus clair.

Quelques instants plus tard, madame Moue Hette arrive, tout excitée :

— J'ai une ideé! Remplissez trente petits sacs de sable pendant que je retournerai espionner les pirates.

— Remplir trente sacs de sable ? Mais pourquoi ?

— Faites-moi confiance, fait-elle en les quittant.

Du haut de son perchoir, madame Moue Hette observe à nouveau les pirates. Chacun tente désespérément de s'emparer de sa part du butin. Les plus petits menacent les plus **GRANDS**, les plus faibles attaquent les plus **forts** et les plus calmes dégainent leur épée et ***repoussent*** quiconque s'approche de leur trésor.

— **ASSSSSEEEEEZ!** hurle le capitaine.

Interdits, les marins s'immobilisent.

— **QUI PEUT FAIRE LE PARTAGE DES PIÈCES QUI SE TROUVENT DANS LE COFFRE?**

Un à un, ils baissent les yeux. Aucun d'entre eux ne sait partager.

— **Bande d'incapables!** crie-t-il en haussant les épaules.

À ces mots, madame Moue Hette vole rapidement vers le château de Clément et Julien et annonce:

— Ils ont besoin d'une personne pour faire le partage de leur argent. Revêtez ces toges, glissez-y les sacs de sable et apportez trente sacs vides.

Tandis qu'ils se préparent, elle leur explique son plan. Dès leur arrivée sur le navire des pirates, les garçons sautent à pieds joints sur le pont. Surpris, le capitaine se retourne et demande:

— **Qui êtes-vous et que voulez-vous ?**

— Maître Doilon et maître Bôparlant, disent Clément et Julien simultanément. Nous avons ouï dire que vous éprouviez des difficultés à faire le partage de votre butin.

— M-m-m-m-m-mais, bredouille le chef des pirates, comment avez-vous su ?

— Nous avons nos sources, répondent-ils en levant les yeux vers madame Moue Hette.

Méfiants, les pirates les dévisagent.

— Nous sommes avocats et partager, c'est notre spécialité, poursuit maître Doilon pour les rassurer.

Le capitaine regarde chacun des membres de son équipage, soupire et dit d'un ton résigné :

— Vous pouvez procéder au partage.

— Nous avons besoin d'une table, de deux chaises et d'un endroit calme pour faire notre travail, fait maître Bôparlant.

— Et d'un endroit à l'abri des regards, précise maître Doilon.

Après mûre réflexion, le capitaine fait :

— Vous n'aurez aucune objection à ce que l'un de mes **pirates** reste auprès de vous pendant que vous faites le partage, n'est-ce pas ?

— Bien au contraire, fait maître Bôparlant. Nous aurons besoin de son aide.

D'un signe de tête, le capitaine ordonne à ses marins de former un cercle autour des deux avocats, en leur tournant le dos. Puis il exige le silence. Clément et Julien demandent à l'homme chargé de les surveiller de placer quinze sacs de chaque côté de la table. Ensuite, ils lui demandent de placer le coffre au bout de la table de manière à ce qu'il puisse leur fournir les pièces à partager.

— 1, 1, 1, 1, 1..., fait maître Doilon en déposant une pièce dans chaque sac.

— 2, 2, 2, 2, 2..., fait maître Bôparlant.

Pendant ce temps, les marins laissent courir leur imagination. Certains rêvent des pays qu'ils visiteront.

— 250, 250, 250, 250, 250...

D'autres rêvent des châteaux qu'ils achèteront.

— 842, 842, 842, 842, 842...

Certains rêvent des navires qu'ils construiront.

— 1 056, 1 056, 1 056, 1 056, 1 056...

Et d'autres rêvent des bijoux dont ils se pareront. Soudainement, le pirate attitré à leur surveillance dit :

— Il ne reste plus d'or à partager.

Maître Doilon lui demande alors d'attacher tous les sacs et de les déposer dans le coffre. Ensuite, maître Bôparlant lui ordonne de placer la malle et les chaises derrière la table. Finalement, Clément et Julien s'assoient de part et d'autre du coffre et le ferment bruyamment. N'attendant que ce signal, les pirates se retournent et demandent :

— Suis-je riche? Suis-je très riche? Suis-je très très riche?

Maître Doilon leur ordonne de se calmer et dit:

— Il y a 80 pièces d'or dans chaque sac.

— Je suis riche! Je suis très riche! Je suis très très riche!

— **DU CAAALME!** s'écrie maître Bôparlant.

Interdits, les marins s'immobilisent.

— Veuillez vous mettre en ligne afin que nous puissions procéder à la distribution des sacs. Une file devant mon collègue et une autre devant moi.

De sa main droite, maître Doilon prend un sac rempli de pièces d'or et le glisse sous sa toge. De sa main gauche, il sort un sac de sable et le remet aux pirates. De son côté, maître Bôparlant procède à l'inverse.

— Écrivez-y votre prénom, ordonnent-ils en leur donnant leur sac.

Tandis que les marins tentent d'écrire leur prénom, les **fauX** avocats se lèvent et se dirigent vers la passerelle. Alors qu'ils s'apprêtent à quitter le bateau, un marin s'écrie :

— **J'ai fini!!**

Puis il ouvre son baluchon et constate qu'il n'y a que du sable.

— **Au voleur ! Au voleur !**

D'un signe de tête, le capitaine ordonne à ses deux pirates les plus

costauds de capturer maître Doilon et maître Bôparlant

— Aux fers, crient certains.

— La planche, font les autres en chœur.

Clément et Julien, tremblant à l'idée d'affronter l'un ou l'autre de ces scénarios, se débattent et tentent de se libérer de l'emprise de leurs geôliers. Impatients, les pirates les renversent et se mettent à les **secouer énergiquement**. Tous les sacs d'or tombent de sous leur toge. Les membres de l'équipage les recueillent un à un et les déposent sur la table. D'un autre signe de tête, le capitaine ordonne à ses hommes de jeter les faux avocats par-dessus bord.

— Nous n'avons plus besoin de leurs services, dit-il en riant.

7

Une idée fructueuse

Clément et Julien rejoignent la berge à la nage.

— Nous ne réussirons **jamais** à récupérer notre trésor, maugrée Julien.

Le temps de reprendre son souffle, Clément réfléchit.

— J'ai une idée, dit-il finalement.

En quelques secondes, il expose son plan à Julien et à madame Moue Hette.

— C'est notre dernière chance, dit Clément en regardant la mouette s'éloigner vers le bateau des pirates.

En un rien de temps, elle retrouve son perchoir. Chacun des marins est à dévoiler ce qu'il fera avec sa part du trésor. Les plus petits décrivent les bottes qu'ils s'achèteront.

— **VOUS POURRIEZ...**, fait madame Moue Hette en plongeant vers le capitaine.

Les plus **GRANDS** dressent la liste des vêtements dont ils se pareront.

— INVESTIR **VOTRE ARGENT...**, dit-elle en poursuivant son manège.

Les plus faibles décrivent les armes qu'ils s'offriront.

— **ET DEVENIR...**

Les plus **forts** énumèrent les pays qu'ils conquerront.

— **ENCORE PLUS...**

Et les plus calmes fredonnent les airs de musique qui les endormiront.

— **RICHES !!!!!!**

— **ASSSSSEEEEEZ !** hurle le capitaine.

Interdits, les marins s'immobilisent, madame Moue Hette aussi!

— Que dis-tu, oiseau de malheur?

— Je m'appelle madame Moue Hette et je ne suis pas un oiseau de malheur.

Étonné, le capitaine l'observe quelques instants.

— J'ai la solution à votre problème, dit-elle.

— La solution à notre problème? demande-t-il.

— Je connais deux personnes qui se feraient un plaisir de faire fructifier votre argent et de faire de vous des hommes RICHES.

— **RICHES ?** demandent les pirates.

— **RICHES !** répond-elle en souriant.

Aveuglé par l'idée de tant de richesses, le capitaine ordonne qu'elle aille chercher ces personnes sur-le-champ. Sans plus attendre, elle s'envole vers le château de Clément et Julien.

— Ça y est, le poisson a mordu à l'hameçon.

Quelques minutes plus tard, les deux frères franchissent la passerelle les menant au navire des pirates. Ils constatent avec surprise que ceux-ci les attendent impatiemment. Dès qu'il aperçoit les **hommes d'affaires**, le capitaine exige le silence et leur fait signe de se présenter.

— Messieurs Henri et Chicénou de la banque Henri Chicénou, fait Clément. Nous sommes banquiers. Nous désirons faire fructifier votre **argent**.

D'un signe de tête, le capitaine ordonne à ses marins de s'asseoir et de les écouter attentivement. Tandis que les banquiers décrivent les moyens qu'ils prendront pour les enrichir, les pirates laissent courir leur imagination. Certains rêvent d'îles désertes qu'ils convertiront en complexes hôteliers. D'autres rêvent d'usines de saucissons qu'ils dirigeront. Certains rêvent des épées qu'ils commercialiseront. Et d'autres rêvent des poissonneries qu'ils ouvriront.

— Faites-nous confiance et vous serez bientôt **RICHES**.

— Nous serons riches ! Nous serons très riches ! Nous serons très très riches !

— Mais pour ce faire, intervient monsieur Chicénou, vous devrez investir tout votre or dans la banque Henri Chicénou.

Confus, les pirates ne savent que faire.

— Faites-nous confiance, dit monsieur Henri, faire fructifier de l'argent, c'est notre spécialité !!!

Rassurés, les pirates se placent en ligne devant les banquiers.

— Votre nom ? demande monsieur Henri.

— *Axel Ère*, répond le pirate.

— Je vous demande pardon, dit le banquier. Je vous ai demandé votre nom.

— *Axel Ère*, répète-t-il.

— Mais je travaille aussi vite que je le peux, lance-t-il, indigné.

— Je m'appelle Axel... Ère, redit le matelot.

— Ah... je comprends ! Compte numéro 001, fait-il en lui remettant son livret bancaire.

— Votre nom ? demande à son tour monsieur Chicénou.

— Jean Poizonne, répond le deuxième pirate.

— Compte numéro OO2, fait-il en lui remettant son livret bancaire.

Lorsque tous les pirates ont complété leur transaction, messieurs Henri et Chicénou les remercient chaleureusement.

— Nous reviendrons dans une semaine, promettent-ils en quittant le navire.

Tout à coup, le vent se lève et démasque Clément et Julien. Leur cravate, perruque et chapeau volent de tous bords et tous côtés.

— Encore eux !!! disent les pirates.

D'un signe de tête, le capitaine ordonne à ses deux plus robustes pirates de les capturer.

— Aux fers, crient certains.

— La planche, font les autres en chœur.

Clément et Julien, tremblant à l'idée d'affronter l'un ou l'autre de ces scénarios, se **débattent** et tentent de se libérer de l'emprise de leurs geôliers tout en agrippant le coffre. Impatients, les pirates les renversent et se mettent à les secouer énergiquement. Les sacs tombent un à un de la malle. Chacun des pirates en profite pour récupérer son bien. D'un autre signe de tête, le capitaine ordonne à ses hommes de jeter les faux banquiers et le coffre par-dessus bord.

— Nous n'avons plus besoin de leurs services, dit-il en riant.

⑧ Le pot aux roses

Tandis que les deux garçons regagnent la berge à la nage, les pirates quittent le bateau avec leurs sacs remplis de pièces d'or.

— Suivons-les, dit madame Moue Hette.

Clément et Julien emboîtent le pas derrière eux en traînant leur coffre. Sur la plage, les pirates s'amusent à effrayer tous les curieux qui osent les regarder. Ils aperçoivent de nombreux châteaux de sable et croisent celui de Clément et Julien.

— Premier prix, lit madame Moue Hette, vous avez remporté le premier prix du concours de châteaux de sable.

— Peu importe. Ce que nous voulons, c'est récupérer notre trésor !

Tout à coup, les pirates s'arrêtent. Ils se regroupent et discutent quelques instants. Madame Moue Hette les survole discrètement.

— Je n'ai rien entendu, dit-elle en se posant près des garçons.

Les pirates entrent alors dans le magasin général de la plage. Clément, Julien et leur amie les y rejoignent et les observent à travers la vitrine. Chacun des pirates prend un panier et le remplit de diverses choses. Le premier, de gigots, vin, pain, légumes et fruits exotiques. Le deuxième, de perles, rubis, émeraudes et diamants. Le troisième, d'épées, fusils et arbalètes et le dernier, de pantalons, chemises, bandeaux et bottes. Finalement, le **capitaine** et ses marins se présentent à la caisse pour payer leurs emplettes.

— Bonjour, dit la caissière. Cela vous coûtera 76 pièces d'or, s'il vous plaît.

Le capitaine sort alors son baluchon de sa poche et le lui tend. Elle l'ouvre, regarde son contenu quelques instants puis se met à rire à gorge déployée. Le capitaine et ses pirates la regardent et lui demandent ce qui se passe. En guise de réponse, elle pointe une affiche collée à la vitrine de son magasin. Elle la lit pour leur bénéfice, entre deux rires contenus. Humiliés, les pirates quittent rapidement le magasin et jettent l'un après l'autre leur sac d'or dans le coffre ouvert devant eux. Clément et Julien assistent à la scène, ébahis.

— Mmmmm... concours... mmm... enfants, grogne le premier.

— Mmmmm... plage... mmmmm... sable, poursuit le second.

— Mmmmm... pièces... mmmmm... or, bougonne le dernier.

— Mais que se passe-t-il ? bredouillent Clément et Julien.

En guise de réponse, les marins pointent à leur tour l'affiche collée à la vitrine du magasin. Madame Moue Hette s'en approche et lit à haute voix :

CONCOURS
DE CHÂTEAUX DE SABLE.
Premier prix:
COFFRE AU TRÉSOR REMPLI
DE PASTILLES EN CHOCOLAT
ENROBÉES DE PAPIER D'OR.

— Des **pastilles en chocolat** enrobées de papier d'or ! répètent Clément et Julien.

— Ça tombe bien, dit madame Moue Hette en riant, j'adore le **chocolat** !

— Nous aussi! font Clément et Julien en sautant de joie, nous aussi !

Glossaire

À gorge déployée : rire aux éclats
À peine audible : difficilement entendu
Aire de tournoi : lieu où les chevaliers combattaient amicalement
Amarrer : retenir au port par des cordages
Arbalète : arc
Arceau : petite arche
Attitré : chargé en titre d'une fonction
Aux fers : faire prisonnier
Avocat : personne qui conseille ses clients en matière juridique
Bancaire : de la banque
Bénéfice : avantage, faveur
Berge : bord de l'eau
Bredouiller : parler de façon confuse
Cohue : foule en désordre
Commercialiser : mettre en vente
Conquérir : vaincre
Convertir : transformer
Dégainer : tirer de son étui
Dépité : contrarié, déçu
Dévoiler : révéler
Diversion : distraction
Dresser : faire une liste
Éclaireur : personne envoyée en reconnaissance
Édifier : bâtir
Emboîter : suivre pas à pas
Émerger : sortir
Emplette : achat
Engloutir : dévorer
Énumérer : énoncer
Éparpiller : répandre
Épier : espionner
Étroite : limitée
Éventré : ouvert
Exotique : qui provient de pays lointains
Festin : repas de fête

Fondation : structure de base d'une construction
Fredonner : chantonner
Fructifier : rapporter
Geôlier : personne qui garde les prisonniers
Gigot : cuisse de mouton ou d'agneau coupée pour être mangée
Humilier : blesser dans son amour-propre
Insolation : trouble causé par l'exposition prolongée au soleil
Investir : placer son argent pour le faire fructifier
La planche : faire marcher un prisonnier sur une planche fixée au bord du bateau jusqu'à ce qu'il tombe à l'eau
Maugréer : rouspéter
Météorologue : personne qui a étudié la science de la météorologie
Méticuleusement : porter une attention particulière aux détails
Meurtrière : ouverture pratiquée dans un mur fortifié pour se défendre
Migrer : se déplacer, en parlant des animaux, pour changer de climat suivant les saisons
Ouï dire : ce qu'on connaît pour l'avoir entendu dire
Parer : porter
Pelletter : ramasser avec une pelle
Pied-de-biche : levier à tête fendue
Plisser : froncer
Résigner : accepter sans protester
Revêtir : mettre un vêtement
Ruisselant : qui coule sans arrêt
Sceptique : qui doute
Scruter : regarder avec soin
S'interposer : se placer entre
Sitôt dit, sitôt fait : immédiatement
Toge : robe portée par les avocats
Tour d'assauts : bâtiment cylindrique à partir duquel les chevaliers pouvaient attaquer
Transaction : entente intervenue entre deux personnes
Trôner : être à la place d'honneur

La langue fourchue

Les expressions de la langue française sont parfois cocasses. Trouve l'expression qui correspond à la définition donnée.

Écris tes réponses sur une feuille et compare-les à celles du solutionnaire en page 63.

1. Quand une personne rit aux éclats, rit-elle :

a. À gorge explosée
b. À gorge déployée
c. À gorge gonflée

2. Quand une personne se laisse prendre au piège, dit-on que :

a. Le poisson a couru à l'hameçon
b. Le poisson a bu à l'hameçon
c. Le poisson a mordu à l'hameçon

3. Quand une personne fait un geste destiné à communiquer avec quelqu'un, fait-elle :

a. Un signe de fatigue
b. Un signe de tête
c. Un signe de croix

4. Quand le front d'une personne est couvert d'un liquide, dit-on que son front est :

a. Ruisselant de sueur
b. Ruisselant de peur
c. Ruisselant de beurre

5. Quand une personne connaît quelque chose pour l'avoir entendu dire, l'a-t-elle :

a. Ouï pire
b. Ouï rire
c. Ouï dire

6. Quand une personne découvre le secret d'une affaire, découvre-t-elle :

a. Le pot aux roses
b. Le pot aux tulipes
c. Le pot aux marguerites

M'as-tu bien lu ?

Voici un quiz qui te permettra de voir si tu as bien lu l'histoire *Un trésor dans mon château*.

Écris tes réponses sur une feuille et compare-les à celles du solutionnaire en page 63.

1. Qu'est-ce que Clément et Julien font à la plage ?

a. Ils participent à un concours de pêche
b. Ils participent à un concours de surf
c. Ils participent à un concours de châteaux de sable

2. Quel animal vient en aide à Clément et Julien en espionnant les pirates ?

a. Une mouffette
b. Une mouette
c. Une chouette

3. Que se passe-t-il lorsque les pirates réalisent que Clément et Julien tentent de récupérer leur trésor ?

a. Les pirates les mettent aux fers
b. Les pirates les font marcher sur la planche
c. Les pirates les renversent et les secouent énergiquement

4. Quel est le nom du célèbre météorologue qui prédit qu'il fera soleil au cours de la journée ?

a. Bôtan Môvètan
b. Bau Seauleye
c. Ypleu Haverses

5. Que font les pirates lorsque Clément et Julien comptent leurs pièces d'or ?

a. Ils fredonnent des airs de musique
b. Ils laissent courir leur imagination
c. ils décrivent les armes qu'ils s'offriront

T'es-tu bien amusé avec les quiz *La langue fourchue* et *M'as-tu bien lu*?

Eh bien! Clément et Julien ont conçu d'autres questions et jeux pour toi. Ils t'invitent à venir visiter le www.boomerangjeunesse.com. Clique sur la section Catalogue, ensuite sur M'as-tu lu?

Amuse-toi bien!

Solutionnaire

La langue fourchue

Question 1: la réponse est b.
Lorsque la caissière ouvre le baluchon du capitaine, elle se met à rire à gorge déployée. Cela veut dire qu'elle rit aux éclats en voyant le contenu de la bourse.

Question 2: la réponse est c.
Lorsque madame Moue Hette se pose près du château de Clément et Julien, elle leur dit que le poisson a mordu à l'hameçon. Cela veut dire que les pirates se sont laissé prendre au piège qu'elle leur a tendu.

Question 3: la réponse est b.
Lorsque le capitaine désire signifier au plus costaud de ses marins de s'emparer du trésor de Clément et Julien, il lui fait un signe de tête. Cela veut dire qu'il fait un geste destiné à communiquer avec lui.

Question 4: la réponse est a.
Lorsque Julien rassure le capitaine quant à leur capacité à compter, il essuie son front ruisselant de sueur. Cela veut dire qu'il est très nerveux et, de ce fait, que son front est couvert de sueur.

Question 5: la réponse est c.
Lorsque Clément et Julien répondent aux questions du capitaine, ils affirment avoir ouï dire que les pirates éprouvaient des difficultés à faire le partage de leur butin. Cela veut dire qu'ils connaissaient quelque chose pour l'avoir entendu dire.

Question 6: la réponse est a.
Lorsque l'auteure a choisi le titre de son dernier chapitre, elle a utilisé l'expression: le pot aux roses. Cela veut dire qu'à sa façon, elle désirait t'aider à découvrir le secret de la fin de son roman.

M'as-tu bien lu?

Question 1: c **Question 2: b** **Question 3: c**
Question 4: a **Question 5: b**

Autres titres de la Collection

ISBN 2-89595-196-9

ISBN 978-2-89595-179-7

ISBN 2-89595-156-X

ISBN 978-2-89595-118-6

ISBN 978-2-89595-220-6

ISBN 2-89595-180-2

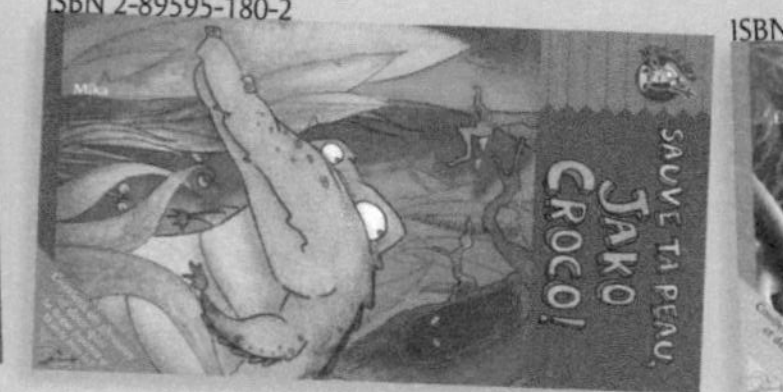

ISBN 2-89595-165-9

ISNB 978-2-89595-104-9

ISBN 978-2-89595-221-3

ISBN 2-89595-195-0

ISBN 978-2-89595-166-7

ISBN 978-2-89595-155-1